PETER BENTLY · JIM FIELD

# HOIGH! CAIT!

A' Ghàidhlig le Tormod Caimbeul

acair

Aon oidhche gheal ghealaich shìos aig a' chidhe,
Nach cuala Alfonso dithis bhodach a' bruidhinn.

A-mach le Alfonso
cho luath ris
an t-saighid

Tro chùiltean is ghàrraidhean
is sràidean caol cloiche.

Agus dh'inns e mun iasg
Dha gach cat agus piseag;
"Leanaibh mis' agus gheibh sibh
Nas urrainn dhuibh ithe."

"Tha bàta grinn ann le trì crainn,
Air a bheil an t-ainm *An Ciopar*,
Thèid sinn oirr' aig meadhan-oidhch'
'S falbhaidh i leinn gu sgiobalt'."

Bha cù caol is cù cruinn a' dol cuairt an cidhe,
'S cha mhòr nach deach na truaghain à cochall an cridhe
A' faicinn na gràisg ud, feargach fo armachd,
A' sgreuchail 's a' sgiamhail, mo chreach 's e cho anmoch.

Ach bha muinntir a' bhaile trom nan cadal
'S cha chual' 'ad *An Ciopar* a' seòladh bhon chala,
'S i gabhail cùrsa dìreach a-mach dhan Chuan Mhòr -
An Caiptean Alfonso 's na gaisgich air bòrd.

A-muigh sa Chuan Mhòr bha bàta nan adag
Le làdach de dh'iasg – chan fhacas a shamhail;
Ò, b' aoibhneach an sgiobair aic' – Sandaidh a' Sgadain,
"Bidh mi beartach," ars esan, "gheibh mi bean, bidh mi reamhar!"

IOS-SS-SS

ì-ì-ì-ì

Ach stad ort ... dè bha siud? Sgrìob Sandaidh a shròin,
Bha rudeigin a' dìosgail a-muigh anns a' cheò;
Dh'èist agus chual' e fuaimean bha neònach -
Dìosgail is bìogail ... glambar is GLÒIRICH ...

"Dè th' ann?" dh'èigh am meat.
"'S beag m' fhios!" dh'èigh an Sgiobair.

'S a-mach às a' cheò gun tàinig *An Giopar*
Mar uilebheist ag èirigh à doimhneachd na mara,
B' ann an siud a bha 'n sealladh ann an solas na gealaich!
Ghabh na h-iasgairean eagal. Bha 'd air chrith agus fann,
Cha robh duine ri fhaicinn - ach am fuaim ud! Dè bh' ann?

"DÌON AGUS GLÈIDH SINN!"

dh'èigh Sandaidh a' Sgadain,
"Tha TAIBHSE de bhàta a' tighinn
oirnn ...

'S a-mach à seo leotha sa gheòla bheag
Ag iomradh le iomnaidh aig peilear am beath'.

(Modo Morag, an còcaire,
Gun bhriogais gun bhrògan,
Air èiginn a fhuair esan,
Bròinean, air bòrd innt'.)

Agus cho luath 's a chaidh a' chaidh a' ghleoid 's na seòid as an t-seallaidh,
Leig Alfonso èighe:

"Io-hò!
Trosg is adag!"

Feusagach, acrach,
Bha na cait air an dòigh.

"An adag seo
dhòmhsa!"

"Làn do bhroinn!"

"Ith do leòr!"

"A-nis," ars Alfonso,
"Gu Geodha na Càbaig,
'S bidh fèis mhòr nan adag
Againn gu màireach!"

"À-à-à-à-à!"

'S an fhèis bh' aig na cait ud air tràigh gheal na Càbaig,
Chan fhacas a leithid bhon fhèis bh' aig Belsàsar;
Gàireachdainn, slòpraich, is òrain gan stialladh,

'Ò, fàilte gu fearann
air balaich an iasgaich!

Latha no dhà às deidh siud, dh'inns Sandaidh a' Sgadain
Mar a ghlacadh 's a ghoideadh gach trosg agus adag;
"Agus innsidh mi seo dhuibh, 's gur biorach mo shùilean,
Tha mi cinnteach," ars esan," gur e CAIT rinn ar spùinneadh!"

"Tha thu daft, mhic a' Sgadain," arsa muinntir a' bhaile,
"Chan urrainn dha cat stiùireadh bàta no bara."
Ach an uair sin shaoil leotha gun robh e glè neònach
Nach fhacas na cait bhon latha 'n-dè no a' bhòn-dè.

Bha iad seachdain co-dhiù air falbh bhon an dachaigh,
’S nuair a thill iad cha b’ fhiù leotha ach sìneadh is cadal,
’S cha robh gin dhiubh bochd, caol, ach cruinn agus reamhar ...
An dùil an e ’n fhìrinn a bh’ aig Sandaidh a’ Sgadain?

Ach bhòidich na seòid ud nach cluinneadh duine no cù
Gu bràth mun an oidhch' ud, ach a-mhàin ...

MIAÙ

'S ged a chnàmhadh do theanga, chùm 'ad siud aca fhèin;
Cho math dhutsa bhith ceasnachadh poca làn shnèap!

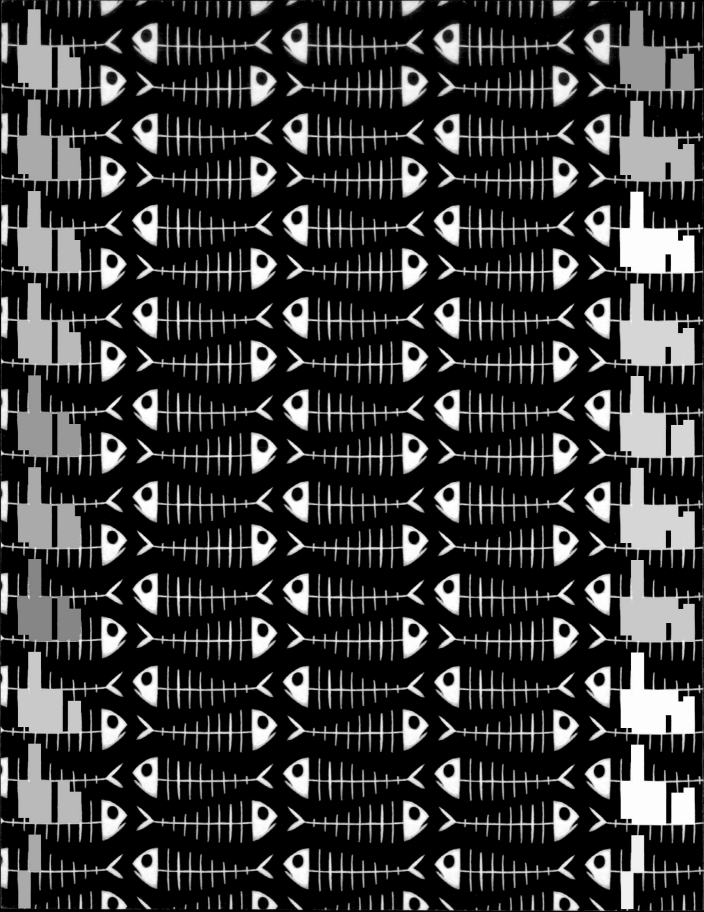

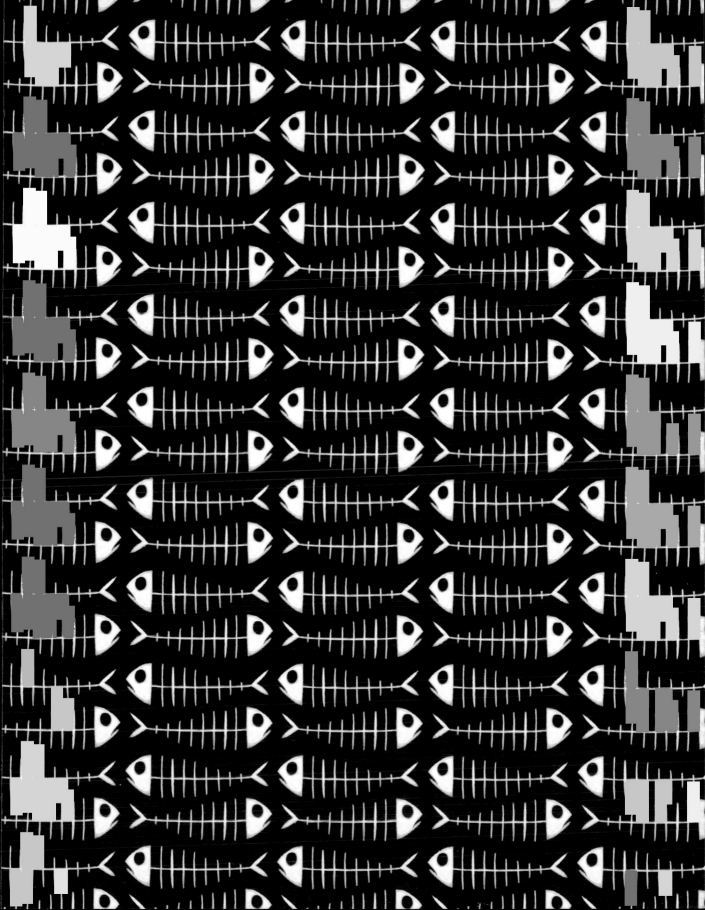